D1247977

Questions d'amour 11-14 ans

Virginie Dumont
est psychologue et psychothérapeute,
spécialiste de l'enfant et de l'adolescent.

Serge Montagnat,
auteur de livres scientifiques pour la jeunesse,
est professeur de biologie.

Illustrations de
Romain Slocombe, Serge Bloch, Robert Barborini

Merci à Françoise Degeilh, médecin,
pour sa relecture attentive de Questions d'Amour.

Sommaire

Direction de la collection
Virginie Dumont

Rédaction
Serge Montagnat

Conception éditoriale
Marie-Odile Fordacq

Édition
Ariane Léandri

Direction artistique
Bernard Girodroux

Conception graphique Maquette
Maryvonne Marconville

Illustrations
Romain Slocombe
Serge Bloch
Robert Barborini

Recherche iconographique
Claire Balladur

Première partie : Le corps et ses changements

Deuxième partie : La sexualité

ça pousse !..

Filles et garçons

Le nombre moyen de garçons et de filles

Chaque année, 143 millions d'enfants naissent dans le monde. Il naît environ 105 garçons pour 100 filles.

Pourquoi sommes-nous si différents au même âge ?

De 10 à 15 ans, filles et garçons naviguent entre enfance et adolescence. Chacun grandit à son rythme et les décalages sont parfois saisissants : au même âge, le corps des un(e)s a commencé à changer, celui des autres non. Mais ce qui est certain, c'est que vous deviendrez tous des hommes et des femmes.

Et en même temps, nous sommes tous pareils

À l'adolescence, filles et garçons adoptent souvent des façons de s'habiller, de manger, de parler identiques : jeans, baskets, verlan sont des « signes de reconnaissance ». Cela vous permet de former un vrai groupe, différent des plus jeunes et des plus âgés, de vous reconnaître comme appartenant à cette tranche d'âge.

Pourquoi naît-on garçon ou fille ?

Le sexe est déterminé dès l'union des deux cellules reproductrices : l'ovule venant de la femme et le spermatozoïde venant de l'homme. Tout ovule contient un chromosome X, le spermatozoïde possède un chromosome X ou un Y. La paire de chromosomes sexuels qui se forme lors de la fécondation fait de nous une fille si elle correspond à XX, ou un garçon, si elle correspond à XY. Notre sexe génétique se trouve inscrit dans chacune des milliards de cellules vivantes qui constituent notre corps.

Alors, fille ou garçon, c'est un hasard ?

Si on veut : on désigne par le mot hasard tout ce que l'on n'explique pas scientifiquement. En l'état actuel de nos connaissances, on ne sait pas ce qui, au moment de la fécondation, favorise un spermatozoïde porteur du chromosome X ou celui porteur du chromosome Y.

Les deux font la paire

Chaque cellule vivante de notre corps contient 23 paires de chromosomes, excepté les cellules reproductrices. Un ovule ou un spermatozoïde ne comportent que 23 chromosomes. Quand ils s'assemblent, les paires se reforment. Cela fait 46 chromosomes !

Masculin, féminin

Mais il y a des filles qui ressemblent à des garçons et des garçons qui ressemblent à des filles...

Et on trouve souvent fort désagréable de se faire appeler « mademoiselle » quand on est un garçon ou « jeune homme » quand on est une fille ! Certaines filles ont peu de poitrine, certains garçons peu de barbe. Toutes les nuances physiques apparentes sont possibles, mais on est une fille si on a des organes génitaux de fille, et un garçon si on a des organes génitaux de garçon.

Stéphanie, c'est un vrai garçon manqué !

Et pourtant, Stéphanie est une fille. Mais son comportement un peu viril, sa démarche ou sa façon de s'habiller sont interprétés par les autres comme des signes de masculinité.

Et Antoine a l'air d'une fille !

... parce qu'il est plutôt fin, parce qu'il aime lire et les activités calmes. Mais Antoine est vraiment un garçon.

Alors, tout est possible ?

Inutile de vouloir cataloguer les filles d'un côté, les garçons de l'autre. Si nous avons tous une dominante, masculine ou féminine, cela n'interdit en rien de posséder des traits de caractère de l'autre sexe. Conçus par un homme et une femme, nous portons la richesse des deux sexes...

L'égalité des sexes, c'est quoi ?

Les femmes ont longtemps été considérées comme inférieures aux hommes. En France, le droit de vote ne leur a été accordé qu'en 1944 ! Les grandes écoles leur ont longtemps fermé leurs portes et leur accès aux postes de responsabilité reste plus faible que celui des hommes. Les changements ont été le résultat d'une lutte essentielle qui porte le nom de « féminisme ». Aujourd'hui encore, l'égalité dans les faits n'est pas totale.

La libération de la femme

La contraception, qui est l'ensemble des méthodes permettant d'éviter une grossesse, est l'une des conquêtes du « mouvement de libération de la femme » (MLF) dont le slogan est : « Un enfant quand je veux, si je veux ». Le mouvement surgit dans plusieurs pays occidentaux à la fin des années 1960. Il s'agit de supprimer les différences établies entre hommes et femmes pour le travail, le salaire, la répartition des tâches ménagères...

Les droits de la femme en quelques dates

1792 *: Déclaration des droits de la femme et de la citoyenne par Olympe de Gouges*

1966 *: la pilule est autorisée*

1972 *: loi posant le principe de l'égalité des rémunérations pour un même travail*

1975 *: loi autorisant l'interruption volontaire de grossesse*

1983 *: loi pour l'égalité professionnelle (ainsi, un patron ne peut refuser l'embauche d'une femme sous prétexte qu'elle est une femme)*

2000 *: loi sur la parité : (un parti politique touchera moins de subventions publiques s'il ne présente pas autant de femmes que d'hommes aux élections législatives)*

Un corps qui change

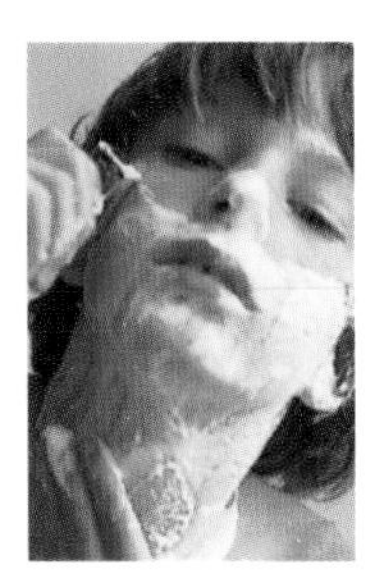

Que de bouleversements !

Entre le début et la fin de l'adolescence, votre taille peut augmenter de 20 à 40 cm et votre poids quasi doubler. Ces changements parfois impressionnants sont tout à fait normaux. Chez la fille, ils s'arrêtent environ 2 ans après l'apparition des règles. Chez le garçon, la croissance pubertaire est souvent plus tardive, entre 12 et 16 ans, et la taille adulte est généralement atteinte vers 17 ans. Mais après l'adolescence, les grandes transformations physiques sont de l'histoire ancienne.

On me fait toujours des remarques sur mon corps. Ça m'agace !

Les adultes vous font souvent remarquer avec plus ou moins d'adresse : « Quelle belle jeune fille », « Mais c'est un vrai jeune homme ». Ce sont des phrases dites de « compliment » mais qui vous embarrassent. Développement de la pilosité, de la poitrine, mue de la voix, taille plus marquée sont des changements importants et on ne s'habitue pas si aisément à un corps qui se transforme !

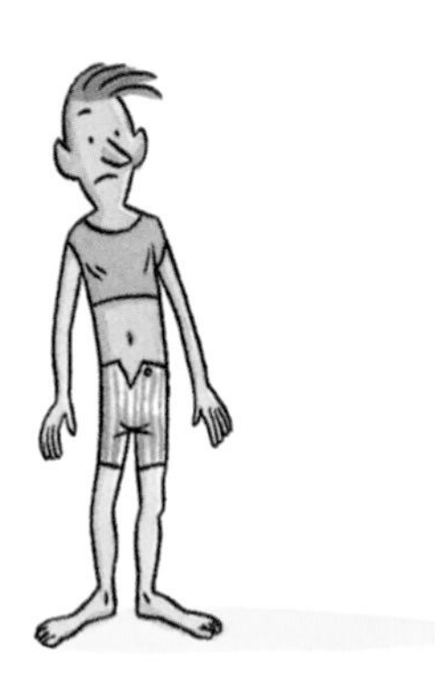

Y a-t-il d'autres changements qui ne se voient pas ?

Ils concernent surtout l'appareil de reproduction, qui se développe : filles et garçons deviennent alors des femmes et des hommes pouvant avoir une vie sexuelle, amoureuse, et susceptibles de faire un enfant.

La puberté et l'adolescence, c'est pareil ?

La puberté correspond à de grandes transformations internes et externes du corps, à la maturation des organes génitaux. L'adolescence débute à cette période et se prolonge par des changements dans la façon de penser ou d'établir des relations avec les autres. C'est le moment des conflits familiaux, des premiers émois amoureux, des premières attirances physiques, nécessaires pour construire son identité d'adulte libre et responsable.

Vous ne changez pas tous au même âge, ne l'oubliez pas !

Généralement, les filles sont pubères plus tôt que les garçons. C'est le cerveau qui pilote ces changements. La volonté n'y est pour rien !

La puberté

L'âge des maladresses

À la puberté, les repères corporels changent. Il en résulte souvent une démarche hésitante et des gestes maladroits...

Qu'est-ce qui déclenche la puberté ?

Les grandes transformations du corps qui ont lieu à la puberté se déclenchent à la suite d'un signal produit par des hormones. Elles sont fabriquées par l'hypophyse, petite glande du cerveau. Nous ne savons pas encore très bien pourquoi ce signal est donné à un moment plutôt qu'à un autre.

C'est quoi, une hormone ?

« Hormone » vient d'un mot grec qui signifie exciter. C'est une substance élaborée en infime quantité par une glande (quelques milliardièmes de grammes sont parfois suffisants !). Elle est transportée par le sang et agit sur un organe précis, en le stimulant, en l'excitant. Elle joue le rôle d'un messager qui assure la transmission d'informations d'un organe à un autre. Il existe des hormones sexuelles mâles ou femelles, des hormones de croissance et bien d'autres encore.

Chacun a-t-il des caractères sexuels spécifiques ?

Appartenir à un sexe, c'est posséder un ensemble de caractères propres, et donc distinctifs. Ceux-ci sont classés en deux catégories : les caractères sexuels primaires concernent les organes génitaux (verge, testicules, vulve, clitoris) ; les caractères sexuels secondaires dépendent d'hormones sécrétées par les glandes sexuelles. Ils se rapportent à l'aspect physique : voix, barbe, poitrine, corpulence.

Les premiers signes de la puberté

En Europe, ils apparaissent en moyenne vers 11 ans chez la fille et vers 12 ans chez le garçon.

■■■ De la fille à la femme

C'est quoi, l'hymen ?

C'est une petite membrane souple qui obstrue partiellement l'orifice vaginal. Elle se rompt, en principe, lors du premier rapport sexuel.

La femme a-t-elle des organes génitaux externes ?

Oui. Ils constituent la vulve. L'orifice vaginal est bordé de replis charnus : les grandes lèvres et les petites lèvres. À la jonction de ces dernières, vers l'avant, au-dessus de l'orifice urinaire, se trouve un petit organe, le clitoris. Vagin, lèvres et clitoris, riches en terminaisons sensitives, sont des zones érogènes (voir page 51) qui jouent un rôle important dans la sexualité de la femme.

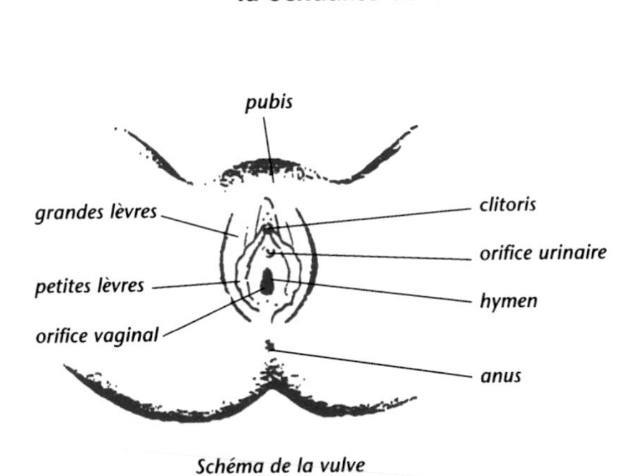

Schéma de la vulve

Ces organes existent-ils avant la puberté ?

Oui, le nouveau-né les possède déjà. Le clitoris fonctionne dès l'enfance, la plupart des autres organes seulement à la puberté.

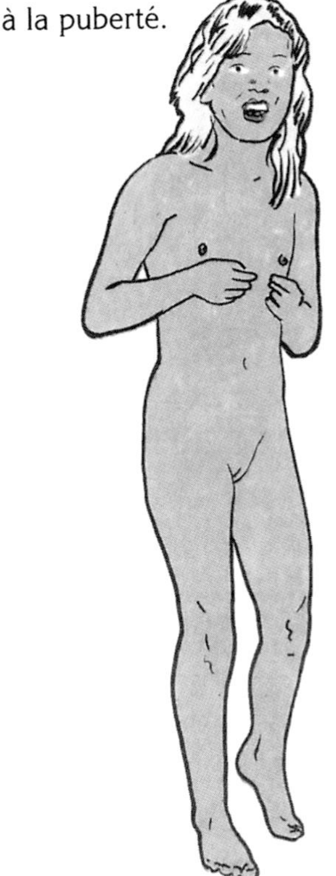

Un corps qui change

9-11 ans
Développement du bassin. Début du développement de la poitrine.
11-12 ans
Développement des poils. Croissance des organes génitaux.
12-13 ans
Poussée de croissance. Apparition des premières règles.
13-14 ans
Poils au niveau des aisselles. Arrondissement des seins.
Affinement de la taille. Élargissement du bassin.
14-15 ans
Grossesse possible. Acné.
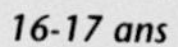
16-17 ans
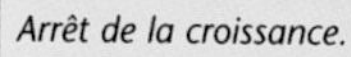
Arrêt de la croissance.

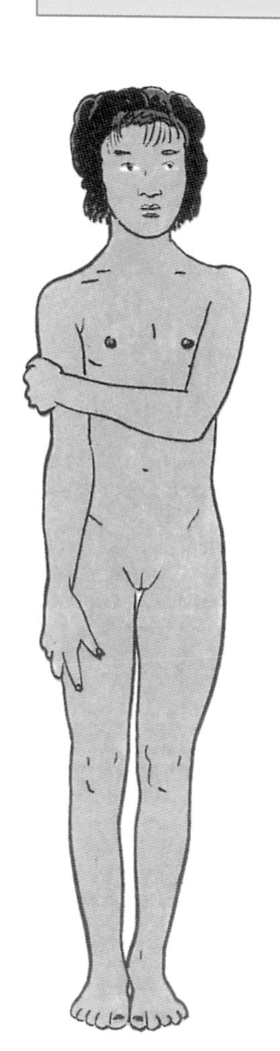

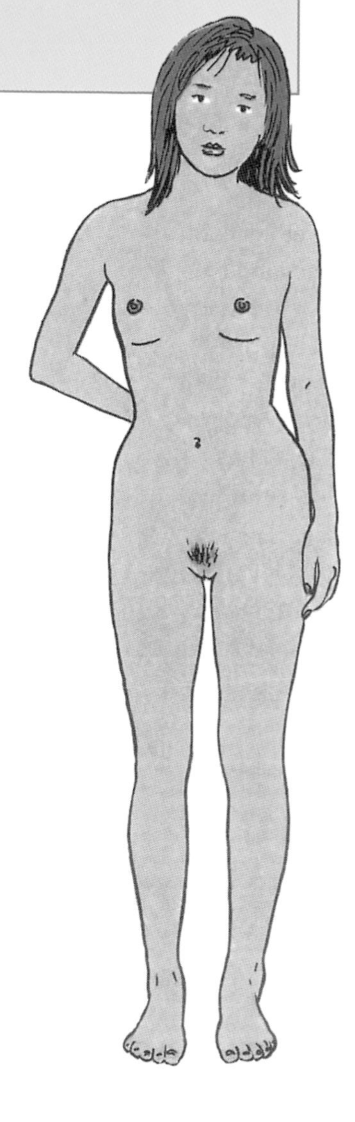

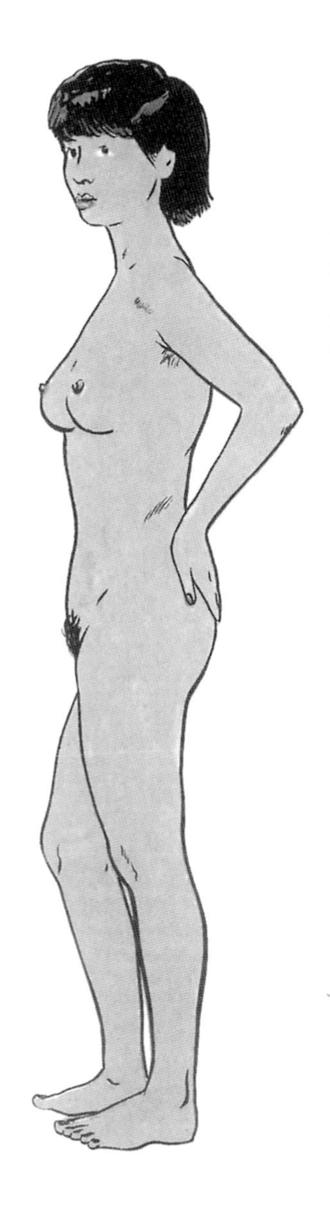

Le sexe de la femme

Les glandes sexuelles féminines

Les deux ovaires sont des organes situés dans la partie inférieure de l'abdomen, au niveau du petit bassin. Ils ont la forme et la taille d'une amande. Ils sont maintenus en place par de fins ligaments liés à l'utérus. Chacun est en contact avec le reste de l'appareil génital par le pavillon de la trompe de Fallope.

Qu'appelle-t-on les trompes de Fallope ?

Les deux trompes de Fallope sont de fins conduits d'une dizaine de centimètres de long. Chacune, garnie de cils, coiffe un ovaire grâce au pavillon. Cette extrémité évasée, à bords frangés, capte l'ovule libéré par l'ovaire et débouche dans le haut de l'utérus.

À quoi sert l'utérus ?

L'utérus est la « poche » où peut se développer un embryon.
C'est un organe musculaire creux (long de 6 à 8 cm), qui s'évase vers le haut de 4 cm. Ses parois sont formées de deux couches : l'une, épaisse, musculaire, et l'autre, fine, appelée muqueuse (comme celle qui tapisse l'intérieur de la bouche).
Le col, partie plus étroite, se prolonge dans le vagin.

À quoi servent les ovaires ?

Ils produisent les cellules reproductrices (ou gamètes) femelles, dont le nom change en fonction de leur développement : ovocyte, follicule, ovule. Ils sécrètent aussi des hormones femelles qui jouent un rôle important dans la vie de la femme.

Qu'appelle-t-on le vagin ?

C'est un conduit (long de 7 à 10 cm) reliant l'utérus à la vulve. Il est l'un des organes de la sexualité. Ses parois musclées s'adaptent à la forme du pénis de l'homme lors des relations sexuelles. Le vagin peut aussi s'agrandir et se dilater de façon importante pour laisser passer le bébé lors de l'accouchement.

L'érection existe-t-elle chez la femme ?

Si on ne parle pas d'érection, il existe néanmoins, comme chez l'homme, des manifestations physiques du plaisir. Le clitoris se gonfle et durcit légèrement. Le vagin, parcouru de petites contractions, s'humidifie.

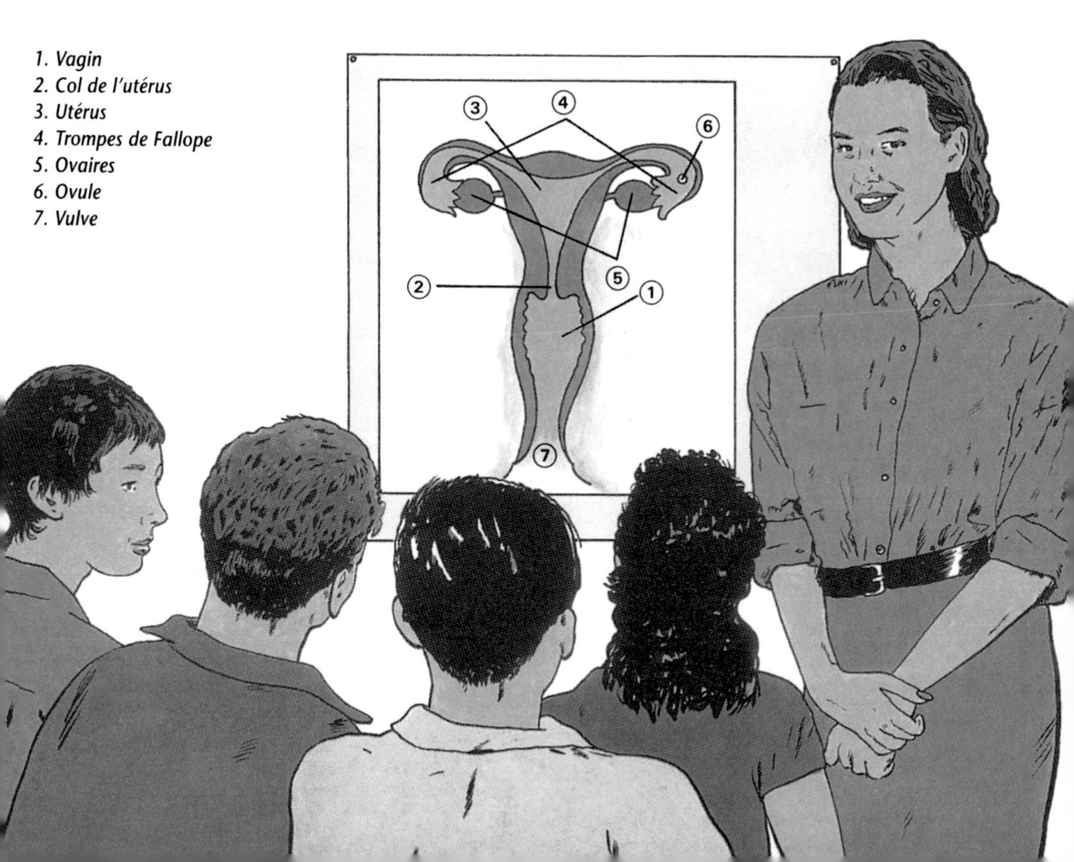

1. Vagin
2. Col de l'utérus
3. Utérus
4. Trompes de Fallope
5. Ovaires
6. Ovule
7. Vulve

Les règles

En 1800, en Europe, une jeune fille avait ses premières règles à 17 ans et demi ; en 1900, c'était à 16 ans ; en 1960, à 14 ans et demi, et aujourd'hui, à 13 ans et demi. Toutes ces données sont bien évidemment des moyennes.

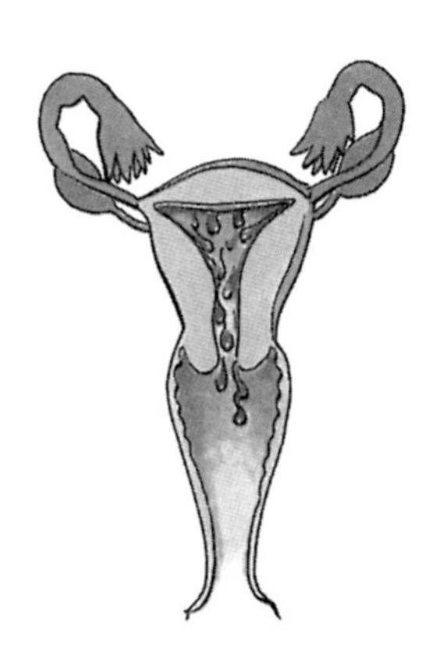

C'est quoi, les règles ?

La vie de la femme est marquée par des modifications qui reviennent à intervalles réguliers. Ces changements constituent le cycle menstruel, dont les manifestations les plus évidentes sont l'apparition des règles, faibles écoulements de sang, par la fente vulvaire. Ces signes externes ne sont que l'aboutissement d'une cascade d'événements internes, qui concernent les ovaires.

Combien de temps durent-elles ?

Elles durent de 3 à 6 jours et se produisent régulièrement, d'où leur nom. Leur périodicité est en moyenne de 28 jours (un cycle lunaire). À partir de leur apparition, il faut souvent 1 à 2 ans, voire bien davantage, pour que leur régularité, leur durée et leur abondance se stabilisent.

Qu'est-ce qui déclenche les premières règles ?

Sous contrôle du cerveau, les hormones produites par l'hypophyse, puis par les ovaires, déclenchent les modifications de la paroi interne de l'utérus.

D'où vient le sang des règles ?

Chaque mois, la paroi
interne de l'utérus
se prépare à recevoir
un éventuel œuf ;
elle s'épaissit, s'enrichit
de vaisseaux sanguins.
En l'absence de fécondation,
la paroi redevient plus fine
et les vaisseaux se brisent,
libérant la petite quantité
de sang qu'ils accumulaient.

La première fois, cela peut arriver à n'importe quel moment ?

Oui, et cela ne prévient pas.
Mais rassurez-vous, au cours
des premières heures,
le saignement est léger.

Ça se voit, quand une fille a ses règles ?

Non, extérieurement cela ne se voit pas. Dans la tradition populaire, on disait que pendant ces jours-là, les femmes faisaient tourner la mayonnaise ! La mauvaise humeur est encore souvent interprétée comme le signe comportemental des jours de règles. Mais tous ces dires n'ont pas de vrai fondement scientifique.

Pourquoi les règles sont-elles parfois douloureuses ?

Parce qu'elles sont liées à une augmentation des petites contractions des muscles de l'utérus. Ces douleurs peuvent se manifester avant les règles, mais aussi débuter avec elles ou vers le deuxième ou troisième jour. Les symptômes sont le plus souvent minimes et modérés. Toutes les femmes ne souffrent pas durant leurs règles, et les douleurs peuvent être d'intensité variable suivant les cycles. Mais si les douleurs sont importantes, votre médecin vous prescrira un traitement efficace.

Pourquoi les règles ne sont-elles pas toujours régulières ?

Il faut du temps pour qu'un cycle devienne régulier, parce que tout le système de régulation doit s'équilibrer. Des émotions, des peurs ou de grandes joies peuvent avoir un effet sur la durée du cycle, car celui-ci est sous le contrôle du cerveau.

Peut-on être enceinte dès ses premières règles ?

Les premières règles sont le signe que l'appareil génital est prêt à participer à la procréation. Le plus fréquemment, durant les deux premières années de menstruation environ, elles ne sont pas accompagnées d'une émission d'ovule. Mais attention quand même si vous avez une relation sexuelle : une contraception est toujours de rigueur.

Serviettes ou tampons ?

Les protections périodiques ou serviettes hygiéniques ont pour fonction d'absorber l'écoulement sanguin lors des règles. Les tampons, plus pratiques lorsqu'il s'agit de faire du sport, demandent un peu d'habitude pour leur mise en place. Des mini-tampons peuvent être utilisés dès les premiers cycles, sans risque de déchirer l'hymen. Pour éviter d'éventuelles infections, il est conseillé de les changer toutes les 4 à 6 heures. La nuit, les serviettes sont donc préférables.

Peut-on se baigner quand on a ses règles ?

Bien sûr, avoir ses règles n'empêche pas de vivre normalement. Il suffit de mettre un tampon hygiénique pour se sentir à l'aise.

Est-ce que le tampon peut « se perdre à l'intérieur » ?

Non, cela ne peut pas arriver. Il est conçu de façon à pouvoir être toujours retiré.

L'ovulation

Comment se passe l'ovulation ?

Un ovule perce la paroi fine de l'ovaire. Il est recueilli par le pavillon de l'une des deux trompes de Fallope. Ce phénomène ne dure que quelques minutes et se produit au hasard sur un ovaire ou sur l'autre. Exceptionnellement ou après un traitement hormonal, il peut se produire une émission de plusieurs ovules à la fois.

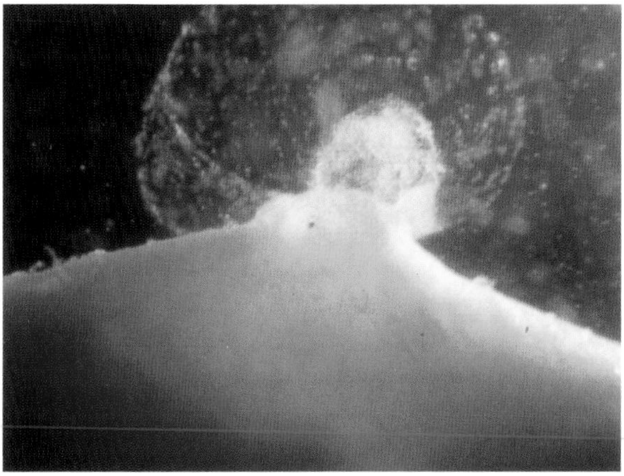

L'ovule perce la paroi de l'ovaire.

Quand a-t-elle lieu ?

Si le début d'un cycle est déterminé avec précision, puisqu'il commence avec l'apparition des saignements, la date de l'ovulation est plus incertaine. Si le cycle est régulier, de 28 jours, elle a lieu le quatorzième jour. Certains cycles dépassent 28 jours car la période qui précède l'ovulation a une durée variable.

C'est douloureux, l'ovulation ?

Non, cela ne fait pas mal. Certaines femmes ressentent cependant l'ovulation mais cela n'a rien à voir avec la douleur. Et là encore, chacune a une sensibilité qui lui est propre et une connaissance de son corps plus ou moins développée.

Combien une femme a-t-elle d'ovules ?

À sa naissance, la fillette possède un stock de futures cellules reproductrices sous forme de follicules contenant un futur ovule. Environ un million de follicules se trouvent dans chaque ovaire. Tout au long de la vie génitale, ils expulseront, à intervalles réguliers, 400 à 500 ovules.

C'est quoi, la ménopause ?

Propre à l'espèce humaine, c'est un arrêt des règles qui se situe entre 45 et 55 ans. Les ovaires, devenus vieux, n'émettent plus d'ovules. Ainsi, à la différence de l'homme, la femme ne peut pas procréer toute sa vie. Mais cela n'empêche pas de poursuivre sa vie sexuelle.

La poitrine

« **_Le sein de la terre »,_**
« porter en son sein »

Le mot sein est tellement associé à la notion de vie que nous l'utilisons aussi lorsque nous voulons signifier le cœur, le centre de quelque chose.

On a tous des seins !

Effectivement, garçons et filles, comme tous les mammifères mâles ou femelles, possèdent des mamelles nommées seins.
Ceux-ci ne se développent réellement que chez les femmes pour permettre l'allaitement des nouveau-nés.
Les seins produisent un aliment naturel et complet : le lait maternel.

Pourquoi la poitrine se développe-t-elle ?

Les œstrogènes, hormones féminines, agissent sur les tissus qui constituent les seins et déclenchent leur développement.
Cette action provoque également la saillie du mamelon, la coloration et l'élargissement de l'aréole, l'accumulation du premier tissu graisseux sous la fine peau des seins. Les seins vont prendre forme et volume.

À partir de quand faut-il porter un soutien-gorge ?

Dès que l'on sent que cela peut être utile.

En combien de temps les seins se développent-ils ?

Les seins se développent sur une période de deux ans environ. La taille de la poitrine dépend des hormones, de l'hérédité et du moment de la vie (pendant la grossesse, elle augmente de volume).

Comment faire pour avoir une jolie poitrine ?

Une jolie poitrine est avant tout une poitrine bien acceptée... ce qui n'est pas toujours le cas. Les unes trouvent qu'elles ont des seins trop petits, les autres trop gros... La chirurgie esthétique peut remédier à un vrai problème de poitrine mais il ne faut y recourir que dans des cas vraiment exceptionnels. Un conseil cependant : se tenir le dos bien droit avantage toujours la poitrine.

Du garçon à l'homme

En 1720, le maréchal de Villeroy convoquait la cour à Versailles : il invitait chacun à contempler la « carte de France » dessinée par le jeune roi Louis XV, âgé de 10 ans. Une royale première éjaculation nocturne !

Quand l'appareil génital masculin commence-t-il à fonctionner ?

Les premières éjaculations se produisent spontanément vers 13-15 ans. Elles surviennent généralement au cours du sommeil. On les appelle souvent « pollutions nocturnes ». Elles correspondent à l'émission de sperme par le pénis en érection.

À partir de quand faut-il se raser ?

C'est très progressif : il se passe plusieurs années entre le duvet naissant et la barbe drue ! On commence par se raser une fois par semaine, puis deux, trois et enfin tous les jours, pour ceux qui ne se laissent pas pousser la barbe.

Pourquoi la voix des garçons change-t-elle ?

Chez les garçons, la pomme d'Adam soutient les cordes vocales. Leur allongement est responsable de la mue de la voix, qui passe de l'aigu au grave. Ces modifications dépendent d'hormones mâles. Ce passage progressif donne parfois des sonorités qui font sourire vos camarades. Mais rassurez-vous, cela ne dure qu'un temps.

En combien de temps se fabrique un spermatozoïde ?

Les biologistes estiment qu'il faut de 70 à 78 jours pour qu'une cellule originelle se transforme en spermatozoïde.
La fabrication des spermatozoïdes commence à la puberté et ne s'arrête plus durant toute la vie de l'homme, qui n'a pas de cycle sexuel.

Peut-on faire un enfant dès que l'on commence à éjaculer ?

Les premières éjaculations sont le signe que vous êtes prêt à procréer. En général, le liquide émis, le sperme, ne contient pas encore assez de spermatozoïdes ; il n'est donc pas fécondant. Mais il peut le devenir très vite.

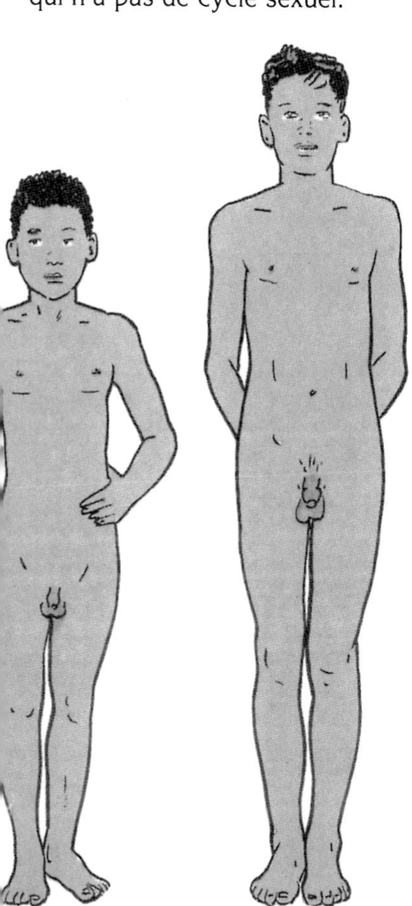

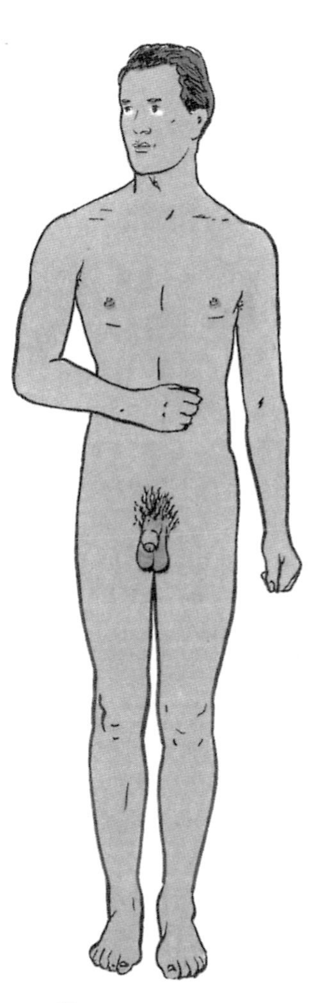

Un corps qui change

10-11 ans
Légère croissance des testicules et de la verge.

12-13 ans
Poussée de croissance.

13-14 ans
Poils au niveau des aisselles.
Croissance rapide.
Développement des organes génitaux.
Éjaculation possible.

14-15 ans
Acné. Développement des poils des aisselles.
Duvet sur la lèvre supérieure.
Mue de la voix.

15-16 ans
Développement de la cage thoracique, du système musculaire.

16-17 ans
Apparition de la barbe.

17-18 ans
Arrêt de la croissance.

Le sexe de l'homme

La double fonction du pénis

Outre sa fonction de rejet de l'urine, le pénis, appelé aussi verge, est l'organe de l'accouplement. Il contient de nombreuses terminaisons nerveuses sensibles. C'est là que se concentre le plaisir sexuel.

Des testicules... ... à la barbe !

Les testicules produisent les gamètes mâles, les spermatozoïdes, dans de nombreux tubes très fins (les tubes séminifères, nom qui signifie « porteurs de semence »). Ils sécrètent également l'hormone masculine, la testostérone. Elle assure le développement des organes génitaux, la formation des spermatozoïdes, la pousse des poils et de la barbe. En somme, c'est elle qui assure la « masculinité ».

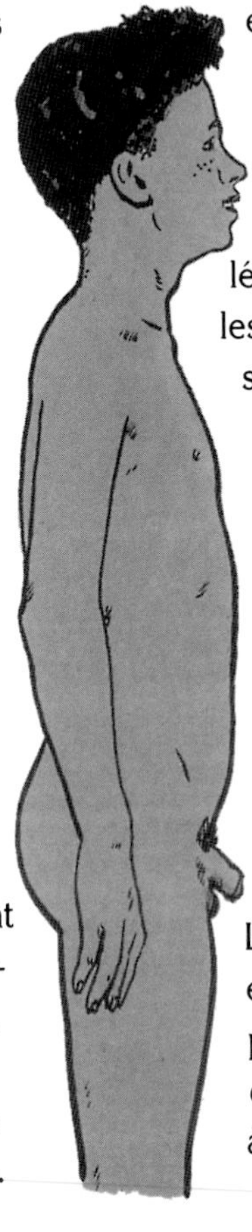

Pourquoi les testicules sont-ils externes ?

Les deux testicules sont logés à l'extérieur du corps, dans les bourses, ou scrotum. D'une longueur de 3 à 7 cm environ, ils ont une forme ovoïde. Ils sont capables de monter ou descendre légèrement dans les bourses, pour se rapprocher ou s'éloigner du corps, et rester ainsi à une température constante, voisine de 33 degrés. Cette « fraîcheur » permet la fabrication des spermatozoïdes. Le testicule gauche est légèrement plus bas que le droit, et c'est tout à fait normal !

Comment les spermatozoïdes rejoignent-ils le pénis ?

Chaque testicule est coiffé d'un long canal (6 mètres) pelotonné sur lui-même, issu de la réunion de tous les tubes séminifères : l'épididyme. Celui-ci se poursuit par un canal déférent, plus court (40 cm), dans l'abdomen. Les canaux déférents droit et gauche se rassemblent en un canal unique situé dans la verge, l'urètre, conduit commun au sperme et à l'urine.

À quoi l'érection est-elle due ?

Le pénis se gonfle de sang, durcit, se redresse et s'allonge d'environ la moitié de sa longueur au repos. Certaines érections sont provoquées par des stimulations extérieures : masturbation, activités sportives comme l'équitation, le grimper de corde, etc. D'autres sont la manifestation du désir sexuel.

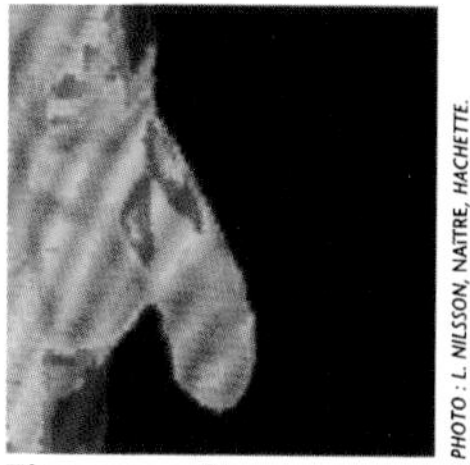

Thermographie d'un pénis au repos.

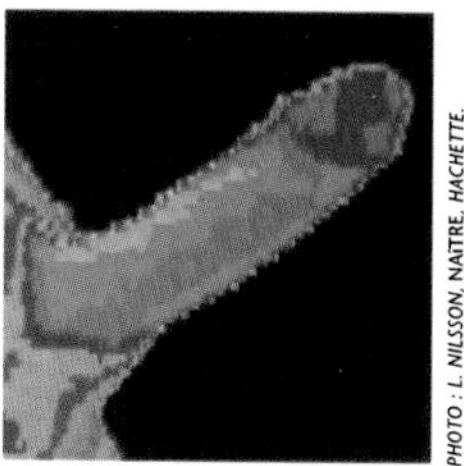

Pénis en érection. La zone rouge correspond à l'afflux sanguin.

Des glandes indispensables

Sur le trajet de chaque canal déférent se situe une petite glande : la vésicule séminale. Une glande unique entoure l'urètre : c'est la prostate. Ces glandes élaborent des sécrétions qui constituent la partie liquide du sperme.

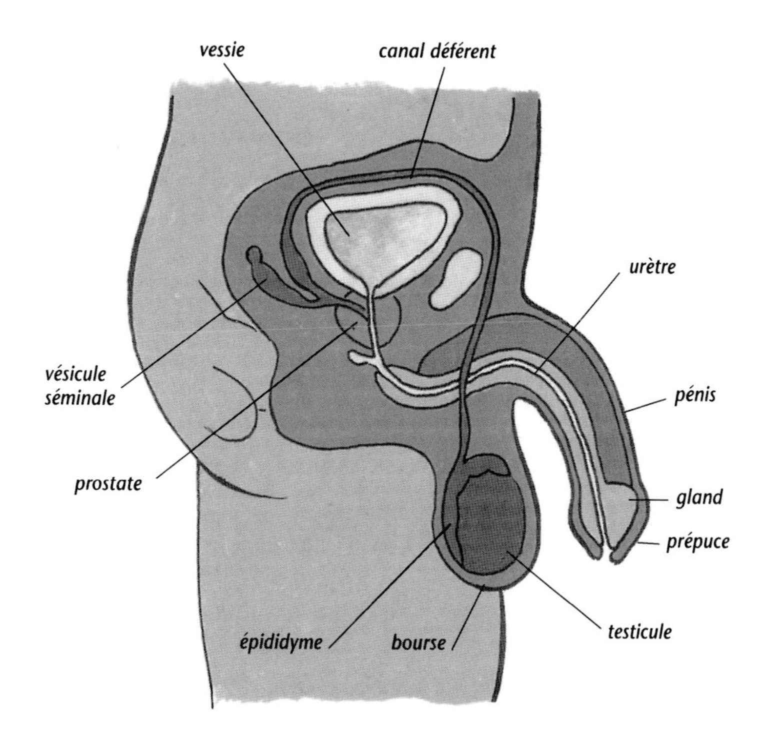

Coupe de l'appareil génital masculin

La composition du sperme

Une partie liquide et visqueuse, élaborée par les glandes séminales, constitue 90 % du sperme. Dans 1cm³ de sperme, il y a 100 millions de spermatozoïdes environ.

Y a-t-il une taille moyenne du pénis ?

Vers 10-11 ans, le pénis commence à s'allonger et à grossir pour atteindre sa taille définitive à la fin de la puberté. Nombre de garçons s'interrogent sur la longueur et la grosseur de leur pénis. Il n'y a pas de taille standard ; elle varie selon les personnes comme pour toute partie du corps. Attention, vous voyez votre pénis d'en haut et celui des autres de face ; l'angle de vue fausse les données !

Qu'est-ce que la circoncision ?

Il s'agit d'une petite opération chirurgicale consistant à enlever le prépuce, repli de peau qui recouvre le gland. Pratiquée essentiellement pour des raisons religieuses, elle est nécessaire en cas de phimosis, c'est-à-dire lorsque le gland ne se découvre pas naturellement. C'est pourquoi, dès leur plus jeune âge, les garçons doivent décalotter le gland en faisant leur toilette.

Peut-on uriner et éjaculer en même temps ?

Bien que l'urètre puisse conduire indifféremment le sperme ou l'urine, l'écoulement simultané de ces liquides est impossible. Un petit muscle, appelé sphincter, ferme l'orifice de la vessie pendant le rapport sexuel.

Que se passe-t-il si l'on n'a qu'un testicule ?

Rien de grave.
Un testicule suffit pour assurer la production du sperme.

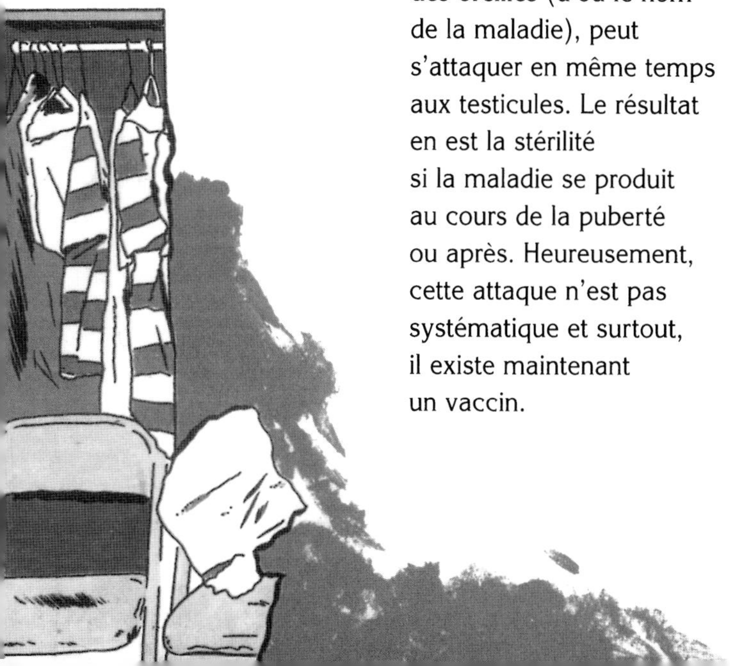

Mon pénis est dur le matin, est-ce normal ?

La testostérone est élaborée en quantité de plus en plus importante au cours de la puberté.
Cette hormone provoque des érections « sans raison apparente », normales, fréquentes, aussi bien au cours de la nuit qu'au réveil.
Simplement, la nuit, on ne s'en rend pas compte.

Les oreillons rendent-ils stérile ?

Le virus responsable de l'inflammation des glandes situées près des oreilles (d'où le nom de la maladie), peut s'attaquer en même temps aux testicules. Le résultat en est la stérilité si la maladie se produit au cours de la puberté ou après. Heureusement, cette attaque n'est pas systématique et surtout, il existe maintenant un vaccin.

Vivre avec ce nouveau corps

Le verbe latin pubere, *qui signifie se couvrir de poils, est à l'origine du terme* puberté.

Pourquoi est-ce important, l'hygiène ?

Les « microbes » adorent les lieux chauds et humides. Il importe donc de savonner quotidiennement ses organes génitaux externes. Attention à ne pas utiliser n'importe quel produit, car ces zones sont sensibles ! Les garçons ne doivent pas négliger de nettoyer l'espace compris entre le prépuce et le gland pour en ôter le smegma, matière blanchâtre sécrétée par les glandes sébacées du prépuce.

Faut-il consulter un médecin ?

Des visites régulières, préventives, permettent de pratiquer un suivi de santé. Vous pouvez poser des questions « techniques », intimes, que vous n'osez pas aborder trop directement avec vos parents, par pudeur ou pour ne pas les gêner. Le médecin de famille, généraliste, est à même de répondre à la plupart de vos « tracas » concernant le corps et son fonctionnement, général ou sexuel.

Pourquoi ces boutons sur le visage ?

Ces boutons sont de l'acné. Ils sont dus au développement de glandes sébacées et à leur activité. Celles-ci sont influencées par les hormones, en particulier les androgènes. Une toilette avec des savons « surgras » peut apporter quelques améliorations mais il faut surtout savoir être patient : chez la très grande majorité des individus, l'acné disparaît spontanément vers l'âge de 20 ans. Cependant, si vous trouvez ces boutons trop disgracieux, consultez un dermatologue. Il vous prescrira des produits appropriés.

Est-ce normal de se masturber ?

Stimuler seul(e) ses organes sexuels permet de mieux se connaître, et favorise l'épanouissement de la sexualité adulte. Se masturber n'a rien d'anormal, à condition de ne pas en imposer la vue aux autres. C'est un acte intime.

Faut-il voir un gynécologue ?

Oui. Le gynécologue est un spécialiste du corps de la femme et plus particulièrement de l'appareil génital. Une visite annuelle permet de s'assurer que tout va bien. Quand on souhaite choisir une contraception, lui seul peut prescrire celle qui convient le mieux à chacune. L'examen gynécologique est toujours redouté la première fois. Mais cela ne fait pas mal et c'est vraiment nécessaire, même si ce n'est pas un moment agréable.

Le respect de son corps

Moi, j'ai peur de grossir, alors je m'empêche de manger !

Aujourd'hui, le modèle de la minceur excessive est valorisé. Aussi, les jeunes filles en pleine puberté s'imposent-elles parfois des régimes sévères qui peuvent être dangereux pour la santé.

Moi, j'ai tout le temps faim, est-ce normal ?

Certains adolescents ont tendance à manger « comme quatre », et c'est normal. Si vous avez le sentiment d'avoir un réel problème de poids, mieux vaut consulter un médecin nutritionniste qui vous donnera des conseils adaptés à vos besoins, tout en tenant compte de vos inquiétudes.

Je n'aime pas me coucher tôt

Se coucher tard est un plaisir, enfin acquis, et pouvoir décider de l'heure où l'on va au lit est l'un des privilèges de l'âge. Mais à la puberté, les besoins de sommeil sont encore importants, et ce d'autant plus que les journées sont souvent chargées : aussi tâchez de récupérer durant les week-ends le sommeil qui vous a manqué pendant la semaine.

Se protéger des autres

Certains adultes, heureusement peu nombreux, tentent d'abuser sexuellement des autres, et en particulier des enfants qui savent moins bien se défendre. Et ce n'est pas toujours facile de dire non, surtout s'il s'agit d'une personne que l'on connaît. Mais dire non, c'est avant tout se respecter. Et si l'on n'a pas pu s'opposer à cet adulte, il faut à tout prix en parler, sans honte, sans culpabilité pour que cela ne recommence pas.

Je n'ai jamais froid !

S'habiller chaudement est une contrainte et il y a un âge où l'on n'aime pas cela. Certains vêtements entravent la liberté de mouvement, sont lourds ou pas à la mode, et à votre âge, on préfère avoir froid plutôt que subir tous ces inconvénients. Mais de même qu'il faut protéger sa peau du soleil l'été, il faut protéger son organisme du froid l'hiver.

Les changements avec la famille

Je suis souvent en conflit avec mes parents

La puberté, qui concerne le corps, s'accompagne de changements dans la façon de penser, d'agir. En particulier, vous établissez à partir de 12-13 ans des relations différentes avec vos parents : vous êtes capables d'avoir votre propre opinion et vous réclamez plus d'indépendance ; il vous arrive d'avoir envers eux des jugements critiques, de sentir un désaccord proche de l'incompréhension. Ces conflits, désagréables, sont cependant nécessaires pour affirmer votre identité. L'essentiel est de ne pas rompre la communication.

Cela me gêne de voir mes parents nus !

Si, plus jeunes, vous n'étiez pas choqués par la nudité de vos parents, ce n'est plus le cas à partir de la puberté où elle évoque davantage la sexualité. Alors, se développent la pudeur et la notion d'intimité ; il est normal que vous vous sentiez mal à l'aise devant un homme ou une femme dénudés, surtout si ce sont vos parents.

Ma mère entre dans ma chambre sans frapper, c'est énervant !

À partir de 11-12 ans, il devient nécessaire d'avoir son territoire à soi, à l'abri du regard des autres. Cela traduit à la fois le besoin d'indépendance, et l'envie d'être seul sans être isolé. Aussi, vous vivez souvent les intrusions comme une surveillance gênante : il est alors légitime de demander de frapper avant d'entrer, comme vous le faites sans doute à la porte de la chambre de vos parents.

Je n'ai pas envie de tout leur raconter

Les parents ne sont pas des copains auxquels on confie ses secrets, et en particulier ses histoires d'amour, petites ou grandes. Mais s'il est souhaitable d'avoir son jardin à soi, sa vie en dehors d'eux, il faut aussi savoir leur demander conseil dans les situations difficiles, pour être rassuré sans se sentir étouffé.

Ils ne se rendent pas compte que j'ai grandi !

Surtout, les parents ont parfois du mal à réaliser que vos besoins ne sont plus les mêmes. Gênés par des comportements enfantins qui coexistent avec des attitudes plus adultes, ils ne savent pas bien comment y répondre. La puberté est un moment difficile pour tout le monde...

Peu de jeunes sont épargnés par la crise d'adolescence !

Entre filles et garçons

Dans les boums, on n'ose pas draguer, on se sent ridicules

Les transformations physiques de la puberté sont toujours accompagnées d'un certain malaise : il faut du temps pour trouver une harmonie avec soi-même, c'est-à-dire accepter un corps à la fois différent et identique, et donc une harmonie avec les autres. Échanger un petit bisou sur la bouche à 5 ans est plus simple qu'un vrai baiser à 13 ans !

Dans ma classe, les filles ne pensent qu'aux garçons !

À âge égal, les filles sont souvent plus matures que les garçons. Leur puberté a démarré plus tôt, elles se sentent des jeunes filles et ont envie de découvrir les garçons sur un plan plus amoureux qu'amical. Alors elles se tournent souvent vers les plus grands.

Quand je suis à côté de Mathilde en classe, je me sens bizarre !

Se sentir bizarre, c'est ressentir un trouble physique encore inconnu, dû à la proximité avec une personne de l'autre sexe. Avant 15 ou 16 ans, il est difficile de reconnaître une émotion de ce type, à la fois agréable et dérangeante, face à laquelle vous ne savez pas encore comment vous comporter. Mais c'est ainsi qu'on se rapproche de l'émoi amoureux, du désir physique, de la sexualité.

Pourquoi les garçons ne parlent-ils pas de leurs sentiments ?

On dit volontiers que les filles expliquent et que les garçons agissent. Mais cela ne veut pas dire que les émotions ou les sentiments ne sont pas les mêmes pour les deux sexes. Simplement, la façon de s'exprimer est différente, ce qui peut donner lieu à des incompréhensions.

S'embrasser sur la bouche

Ça commence par un petit bisou rapide, puis on se jette à l'eau. Tout ce qui était inquiétant et source de gêne devient naturel et agréable !

Se plaire et plaire aux autres

Moi, je me trouve moche : j'ai des boutons et de grands pieds !

Vous vous trouvez trop gros(se), trop maigre, avec des jambes trop courtes. Vous vous sentez maladroit(e), vous avez du mal à vous apprécier, surtout dans un miroir. Prenez patience, cet « âge ingrat » n'est qu'un passage conduisant à votre aspect physique adulte !

Comment sait-on si on plaît ?

Autant vous le dire tout de suite : on commence à se poser cette question vers 12-13 ans et cela ne s'arrête plus ! Vous seriez peut-être surpris de savoir que telle personne qui a du succès doute constamment d'elle. Une seule certitude : il est difficile de plaire aux autres si on ne se plaît pas à soi-même.

Les filles veulent toutes ressembler à des mannequins !

Avant de se forger sa propre personnalité, on cherche des modèles que l'on trouve en dehors de la famille. Les plus accessibles sont les stars de cinéma et aujourd'hui, les mannequins : alors, à un moment de la vie où l'on ne sait plus très bien qui on est, on cherche à ressembler à la créature de rêve des magazines. Le plus souvent, cela passe avec l'âge !

Les sentiments

Quand on drague, c'est qu'on est amoureux(se) ?

Sortir avec quelqu'un est un premier pas vers la sexualité et l'amour. Vers 12-13 ans, avoir un(e) petit(e) ami(e) est une façon de faire l'expérience des véritables relations amoureuses qui auront lieu plus tard. C'est aussi une façon de s'habituer à ce corps qui change, de l'accepter et d'accepter celui des autres, sans aller trop loin. Mais, si l'histoire a toute son importance sur le moment, souvent, elle n'est pas destinée à durer : c'est une étape dans la découverte de l'autre, mais rarement une vraie rencontre.

C'est normal de sortir avec un(e) ami(e) ?

Oui, et c'est courant : embrasser sur la bouche un(e) ami(e) que l'on connaît et en qui on a confiance est plus rassurant, par exemple, qu'embrasser un(e) inconnu(e) qui pourrait se moquer de votre inexpérience. Et comme ce n'est pas vraiment une histoire d'amour, il ou elle peut redevenir ensuite l'ami(e), le (la) confident(e).

Mon (ma) meilleur(e) ami(e) sort avec quelqu'un. Il (elle) me délaisse...

La belle amitié des années
d'école primaire
est en effet un peu
malmenée par les premiers
émois du collège.
Là encore, il faut du temps
pour que chacun trouve
une nouvelle place et
il n'est pas rare de changer
de meilleur(e) ami(e)
à ce moment-là :
on ne cherche plus les mêmes
choses avec les mêmes
gens, tout simplement
parce qu'on change
soi-même.

Comment sait-on si on est amoureux(se) ?

Le sentiment amoureux
se reconnaît aisément
à son omniprésence :
quand on aime quelqu'un,
on y pense sans arrêt,
on a envie de le voir
sans cesse, de lui téléphoner
dès qu'on l'a quitté,
de lui écrire. Plus rien d'autre
ne compte. Donc, le jour
où vous serez vraiment
amoureux(se), il n'y a
aucune inquiétude à avoir,
vous vous en rendrez
compte... et les autres aussi :
l'élu(e) est au centre
des sujets de conversation.

Un corps d'adulte, un cœur d'enfant

Des numéros de téléphone utiles :
Fil Santé Jeunes
Numéro vert :
08 00 23 52 36
Allo, Enfance Maltraitée
Numéro gratuit : 119
Antenne de défense des mineurs du Barreau de Paris
8, place Ste Opportune
75001 Paris
01 42 36 34 87
Enfance et partage
2-4, cité Ameublement
75011 Paris
Numéro vert :
08 00 05 12 34
Centre français de protection de l'enfance
23, place Victor Hugo
94270 Kremlin Bicêtre
01 43 90 63 00

Les hommes me regardent bizarrement dans la rue !

Vers 12-13 ans, vous êtes nombreuses à ressembler à de vraies jeunes filles à qui on donnerait volontiers 17 ou 18 ans. Sans vous en rendre toujours compte, vous suscitez un désir « sexuel » : jeans taille basse, tee-shirts courts et poitrine mise en valeur sont des éléments de séduction, encore décuplés par la fraîcheur de l'âge, auxquels un homme n'est pas insensible. Alors il regarde la femme en vous et il est normal que ce regard puisse vous gêner car, à 12 ans, vous êtes encore une enfant.

Que faut-il faire si on se sent suivi(e) dans la rue ?

Première chose, mieux vaut rentrer chez soi à plusieurs : l'union fait la force ! Si vous êtes seul(e) et si vous vous sentez suivi(e), n'hésitez pas à entrer dans une boutique et demandez à téléphoner à quelqu'un qui pourra venir vous chercher. Il est important de prendre quelques précautions pour assurer sa sécurité : si l'on peut faire confiance à la majorité des adultes, on ne peut pas nier l'existence de certains individus déséquilibrés.

Et si je me fais embêter par quelqu'un que je connais ?

C'est une situation délicate, car alors, fille ou garçon, vous n'osez pas toujours dire non. Mais une tentative de séduction par un adulte sur un mineur est inadmissible et punie par la loi. En parler à quelqu'un, ce n'est pas « dénoncer » mais protéger sa vie, sa sexualité future, son équilibre. Si vous êtes vraiment victime d'une agression sexuelle, répétée ou non, il faut à tout prix le dire, rapidement, sans peur et sans honte, même si cela semble difficile, pour que cela s'arrête.

L'interdit de l'inceste

L'inceste est une forme particulière de séduction entre deux personnes de la même famille, notamment entre un adulte et un enfant. On parle d'inceste quand un père a des relations sexuelles avec sa fille ou une mère avec son fils. C'est un crime puni par la loi. Mais là encore, celui (celle) qui en est la victime est le (la) seul(e) à pouvoir le dire et il (elle) n'est pas toujours en état de le faire : accuser son père ou sa mère lui semble terrifiant. Il faut aussi savoir qu'il existe des lieux où l'on peut parler sans crainte.

Parfois, on voit des exhibitionnistes dans la rue

Un exhibitionniste est un homme qui trouve son plaisir sexuel en exhibant son pénis devant des inconnu(e)s, à la sortie d'une école ou d'un collège, par exemple. C'est une conduite anormale qui met toujours mal à l'aise celui ou celle qui est ainsi contraint(e) de voir, sans être averti. C'est une agression. Là encore, il faut en parler à quelqu'un de son entourage.

Découvrir la sexualité

Mais on sait tous ce que c'est !

À moins de n'avoir ni télévision, ni radio, ni copains, c'est vrai qu'à l'âge du collège, tout le monde sait ce que veut dire faire l'amour, techniquement au moins ! Mais cela n'empêche pas de se poser certaines questions...

À quel âge peut-on avoir un rapport sexuel ?

Avant de parvenir à une sexualité adulte, nombreuses sont les approches physiques, suivies de ruptures. Dans l'idéal, on rencontre un jour un partenaire amoureux et la confiance permet alors d'avoir un premier rapport sexuel. Mais cela n'arrive guère avant 15-16 ans, au plus tôt. Dans la réalité, on confond parfois le besoin de tendresse avec le désir physique. On croit que c'est le moment et on est déçu : une relation sexuelle est un dialogue des corps où s'exprime le désir physique entre deux personnes, et pas seulement la tendresse et l'affection. Il faut se sentir prêt, penser à se protéger avec un préservatif, et alors tout se passe bien.

La première fois, ça fait mal ?

Pas obligatoirement.
La douleur ressentie est souvent liée à la tension qui accompagne le premier rapport sexuel et ne favorise pas la détente musculaire, en particulier chez la jeune fille. La première fois, on n'éprouve pas toujours du plaisir, mais c'est un moment important.

C'est comment, le plaisir sexuel ?

C'est indescriptible, parce que cela ne ressemble à aucune autre sensation : cela se passe à la fois dans le corps, le cœur et la tête. C'est à vous d'en faire la découverte comme chacun de nous, adultes, l'avons faite. Et cette découverte demande du temps.

Faire l'amour sans amour

Le désir et l'amour, c'est pareil ?

Non, ce sont deux choses différentes. Le désir est un trouble physique, qui s'exprime par le corps : cela se maîtrise mal et on le reconnaît à un sentiment de chaleur, à un besoin de se rapprocher de l'autre, de le toucher, de l'embrasser. Quand le désir de l'autre s'accompagne du sentiment amoureux, c'est merveilleux. Mais ce n'est pas toujours le cas !

Mes ami(e)s ont déjà fait l'amour, pas moi !

Avant 15-16 ans, faire l'amour relève davantage du défi par rapport aux copains que d'un véritable désir sincère. La sexualité n'engage pas que le corps. Même si physiquement, vous vous sentez un homme ou une femme, cela ne suffit pas pour tenter une première expérience sexuelle.

Si je fais l'amour juste pour voir ce que ça fait, c'est grave ?

Parce que c'est toujours inquiétant la première fois, il arrive qu'on choisisse un partenaire dont on n'est pas très amoureux : on se dit qu'on sera débarrassé, que ce sera fait... Après seulement commence la véritable aventure, la découverte de l'amour et de la sexualité. Une première expérience permet de se rassurer un peu. Mais il est inutile de la renouveler plusieurs fois. C'est tellement mieux quand on est amoureux !

Se masturber, c'est faire l'amour tout seul ?

Non. La masturbation, qui consiste à se procurer seul un plaisir sexuel, est un phénomène normal, répandu, mais dont on parle peu, parce que c'est un sujet qui met tout le monde mal à l'aise. Mais si cela concerne les organes sexuels, si c'est un élément de la sexualité de chacun, ce n'est pas faire l'amour.

Si une fille fait l'amour avec un garçon sans en avoir envie, c'est un viol ?

Un viol est un acte agressif commis par un homme qui force une autre personne à faire certains actes sexuels. Il s'accompagne souvent de menaces, de violence et constitue un traumatisme lourd. Faire l'amour sans en avoir envie, mais sans y être contraint, est donc différent.

La sexualité adulte

Faire l'amour...

C'est un moment très intime.
Dans la lumière tamisée,
en plein jour ou dans le noir,
les sens de l'homme
et de la femme s'éveillent
et s'animent. Ils se caressent,
reconnaissent leurs odeurs,
se murmurent des mots
tendres tandis que leur désir
s'accroît. Leurs sexes
se frôlent, se frottent.
Le pénis de l'homme
en érection pénètre
dans le vagin humide
de sa partenaire.
Dans un mouvement
de va-et-vient, ils atteignent
l'orgasme. À ce moment
de plaisir très intense,
l'homme éjacule.
Puis les corps s'apaisent,
certains s'endorment.
D'autres caresses peuvent
suivre encore...

Y a-t-il plusieurs façons de faire l'amour ?

L'homme et la femme
peuvent être assis, couchés,
dessus, dessous...
Il n'y a pas de règle
à ce sujet. On peut s'aimer
à n'importe quel moment
de la journée ou de la nuit.
Faire l'amour s'apprend
dans la connaissance
de soi-même
et la rencontre
avec l'autre.
À chacun
de laisser
aller son
imagination
dans la
découverte
et la recherche
du plaisir.

C'est quoi, une zone érogène ?

C'est une partie du corps qui peut provoquer des frissons de plaisir. Ce sont les organes sexuels de l'homme et de la femme, mais aussi la nuque, les seins, l'intérieur des cuisses... toutes les zones très sensibles aux caresses.

Pourquoi certains adultes regardent-ils des films pornographiques ?

Un film ou une revue pornographiques montrent ce qui est habituellement intime, à savoir la sexualité d'un couple. Cela peut représenter pour certains une source d'excitation nécessaire pour atteindre la jouissance.

La contraception

C'est quoi, la contraception ?

La contraception est l'ensemble des moyens permettant de maîtriser la conception, c'est-à-dire d'empêcher la fécondation et la grossesse, tout en ayant des rapports sexuels. Il existe plusieurs méthodes de contraception que l'on choisit en fonction de ses convictions personnelles, religieuses, mais aussi en fonction de critères médicaux.

Quel est le meilleur moyen de contraception ?

C'est la pilule qui assure la meilleure contraception. Il est conseillé de lui associer le préservatif afin de se protéger du sida, car la pilule seule n'assure aucune protection contre le virus. Une visite chez un(e) gynécologue est indispensable pour bénéficier de la pilule la mieux adaptée à son organisme. Cela permet en outre d'aborder avec lui (elle) toutes les questions sur la sexualité.

L'avortement, c'est une forme de contraception ?

Non. C'est une interruption volontaire de grossesse (IVG), qui doit avoir lieu avant la douzième semaine de grossesse. Ce n'est pas un choix anodin pour une femme. Une vraie contraception permet de l'éviter.

Comment la pilule agit-elle ?

Composée d'hormones sexuelles féminines, elle empêche l'ovulation mais ne bloque pas les règles. On la prend pendant 21 jours, puis on arrête 7 jours : c'est le moment des règles. Pour être efficace, la pilule doit être prise tous les mois selon ce principe.

Quels sont les avantages et les risques de la pilule ?

Elle régularise les cycles, permet de prévoir la date des règles, qui sont moins douloureuses et moins abondantes. Les nouvelles pilules ont une action favorable sur l'acné et limitent les problèmes de circulation sanguine. Mais le tabac est contre-indiqué.

La pilule du lendemain

Il faut la prendre dans les 72 heures qui suivent un rapport sexuel non protégé. Mais, attention, elle ne doit pas être utilisée comme une contraception régulière.

Le préservatif est-il efficace ?

Oui, dans 94 % des cas. Un préservatif n'est pas efficace s'il est de mauvaise qualité, si le latex se déchire ou si on l'utilise de façon maladroite. Le préservatif est aussi la meilleure protection contre le virus du sida : il est indispensable de l'utiliser.

Peut-on en acheter sans aller voir un médecin ?

Oui, les préservatifs sont en vente libre en pharmacie, mais aussi dans les grandes surfaces. Faire la démarche soi-même n'est pas toujours simple mais vous pouvez demander à un(e) ami(e) plus âgé(e) de vous accompagner ou de le faire à votre place.

Petite histoire du préservatif

Au XVIIe siècle, un ouvrier de Morteau (ville de la saucisse, dans le Jura) confectionne des petits sacs à partir d'intestins d'animaux.

Au XVIIIe siècle, en Angleterre, est fabriqué (à partir d'intestins de moutons) le « riding coat » (redingote). De là vient l'expression « capote anglaise ».

C'est l'Écossais Mac Intosh (inventeur de l'imperméable) qui industrialisa le préservatif en 1870.

Aujourd'hui, le préservatif est fabriqué en matière synthétique ou en latex.

D'autres moyens de contraception

■ Les spermicides (mousses, crèmes ou petites éponges imbibées de substances chimiques), introduits dans le vagin à l'aide d'applicateurs, neutralisent les spermatozoïdes.

■ Le préservatif féminin, ou diaphragme, est une petite membrane de caoutchouc tendue sur un cercle souple. Il se place avant le rapport sur le col de l'utérus et il est ôté 7 à 8 heures après.

■ Le stérilet est un petit dispositif introduit par le médecin dans l'utérus, pour 2 à 3 ans ; il empêche l'œuf de se fixer sur la paroi de l'utérus. Mais il est contre-indiqué avant d'avoir eu des enfants.

En quoi consistent les méthodes naturelles ?

Ce sont des méthodes qui ne font appel à aucun moyen technique particulier. L'une d'elles consiste à s'abstenir de rapports sexuels pendant la période féconde de la femme. Son efficacité est faible, sauf si la femme a un cycle très régulier et si l'abstinence est longue. Le retrait avant l'éjaculation en est une autre, mais peu fiable : une petite quantité de liquide contenant des spermatozoïdes peut être émise sans qu'elle soit perçue.

Les maladies liées à la sexualité

Les MST, ça se transmet par un baiser ?

Non : une MST, comme son nom l'indique (maladie sexuellement transmissible), se transmet par la relation sexuelle.

C'est quoi, les MST ?

Ce sont des maladies infectieuses, contagieuses, provoquées par des germes (bactéries, virus, parasites, levures) qui sont transmis par le contact sexuel. Si elles ne sont pas soignées à temps, elles peuvent entraîner la stérilité, voire la mort. L'utilisation des préservatifs est une excellente protection. Les MST sont donc des maladies évitables.

Quels sont les risques d'attraper une MST ?

Il faut que l'un des deux partenaires soit infecté et donc porteur de la maladie qu'il a lui-même reçue d'un autre partenaire : c'est une réaction en chaîne où chacun a sa part de responsabilité.

Comment sait-on si on a une MST ?

Des brûlures en urinant, des écoulements anormaux de liquide, des démangeaisons des organes génitaux externes, une rougeur du gland, des rapports sexuels douloureux sont des signes qui conduisent à consulter un médecin. Parfois, aucun signe n'est apparent, comme pour l'hépatite B. Seuls des tests complexes ou des prélèvements permettent de diagnostiquer une MST.

Ça se soigne comment ?

Il faut consulter un médecin le plus tôt possible : ce dernier va identifier le ou les agents responsables de la MST, et prescrire les traitements adaptés. Il est très important d'informer la personne avec laquelle on a eu des rapports sexuels, car elle peut, elle aussi, être infectée.

Avant, cela existait aussi ?

Oui, autrefois, on les appelait les maladies vénériennes. Certaines sont décrites dans des textes datant de plusieurs siècles avant Jésus-Christ. La syphilis aurait été introduite en Europe par les marins de Christophe Colomb rentrant d'Amérique en 1493.

On parle de maladies vénériennes parce que Vénus était, chez les Romains, la déesse de l'amour.

Le sida

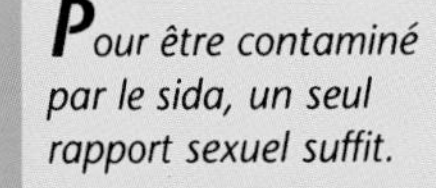

C'est quoi, le sida ?

Sida, ou AIDS en anglais, est l'acronyme de « syndrome d'immuno-déficience acquise ». Le virus du sida détruit certaines cellules du sang, les globules blancs, habituels défenseurs de l'organisme. Il arrive que certaines personnes soient porteuses du virus et qu'elles ne présentent aucun symptôme.
On les appelle « porteurs sains ». Mais ils peuvent transmettre le virus.
Un jour ou l'autre, la maladie peut se déclencher.
La contamination se fait surtout au cours de relations sexuelles.
Une femme enceinte peut donner le virus à son futur bébé pendant la grossesse. L'échange de seringues entre certains drogués est aussi à l'origine de nombreuses infections.

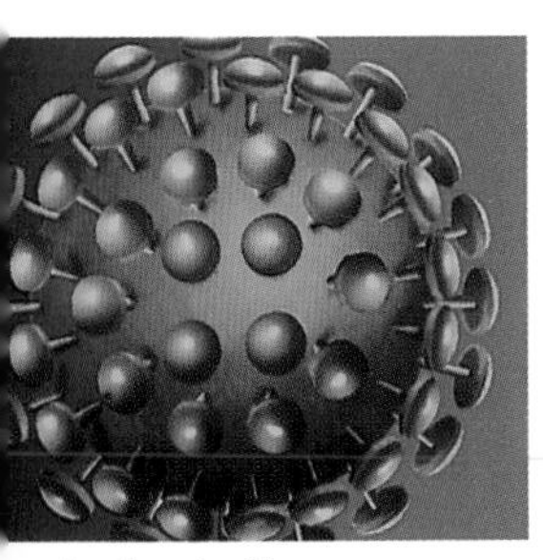
Le virus du sida

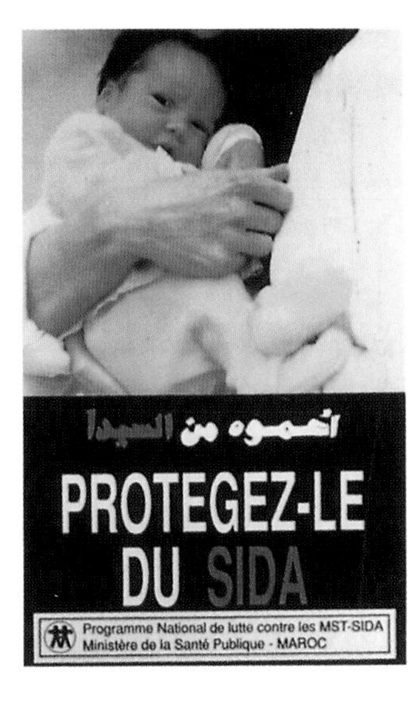

Comment se manifeste-t-il ?

Par le développement de maladies dues à des microbes contre lesquels l'organisme ne peut plus se défendre (comme la pneumonie par exemple).
Le corps ne résiste plus à certains cancers, en particulier de la peau et des muqueuses.

Comment détecte-t-on le sida aujourd'hui ?

Dans les semaines qui suivent la pénétration du virus dans le corps, l'organisme réagit en produisant des « anticorps ». Ceux-ci, repérés par un test sanguin, donnent une réaction positive, d'où le terme de séro- (de *serum*, sanguin) positif.

Ça veut dire quoi, être séropositif ?

Une personne infectée par le virus du sida est dite séropositive : cela veut dire que, même si elle n'est pas malade, elle peut contaminer son partenaire. Entre le moment où on l'attrape et celui où on est malade, il peut s'écouler plusieurs années. C'est pourquoi seul un examen de sang peut apporter la preuve de la non-séropositivité.

Comment se prémunir contre le sida ?

Lors d'un rapport sexuel, seul le préservatif est efficace.

Est-ce qu'il y a un traitement ?

Le sida est une maladie mortelle. Aujourd'hui, les tri- et les quadrithérapies, association de trois ou quatre médicaments, permettent d'empêcher la progression du virus, mais pas encore de l'éliminer.

Le couple et l'amour

C'est quoi un couple parental ?

Quand un homme et une femme qui ont des enfants se séparent, ils forment alors un couple de parents, même s'il n'y a plus entre eux de lien amoureux.

Que faut-il pour faire un couple ?

Un couple, ce sont deux personnes liées l'une à l'autre de façon intime : chacun ressent du désir, de la tendresse, de l'amour pour l'autre. En général, un homme et une femme qui s'aiment ont aussi envie d'avoir un enfant ensemble.

Et quand un homme et une femme ne s'aiment plus ?

Il reste une histoire qu'on n'efface pas. La vie de couple ressemble à un chemin parcouru ensemble. Le couple peut durer toute une vie ou s'interrompre, mais il fait partie de la construction de l'adulte.

Et quand amour rime avec toujours...

Passer toute sa vie avec quelqu'un ne va pas de soi. À la passion des premières années d'un couple succède parfois une certaine lassitude, liée souvent à la vie quotidienne. Les couples qui durent sont ceux qui construisent chaque jour leur vie ensemble, avec petits et grands projets. Le plaisir de la vie à deux se cultive.

Et les homosexuels ?

Quand un homme aime un autre homme, ou une femme une autre femme, ils forment aussi un couple. Simplement, leur sexualité est différente.
Les homosexuels ne peuvent pas se marier, mais depuis 1999, le Pacs constitue entre autres une première reconnaissance officielle et sociale du couple homosexuel.

La fécondation

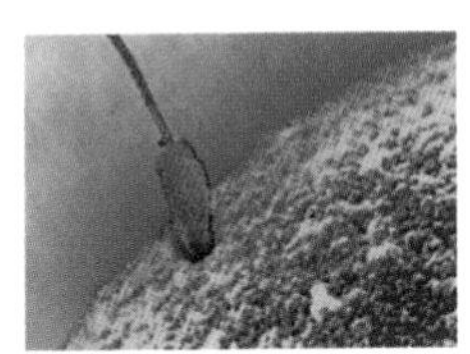

Spermatozoïde pénétrant un ovule.

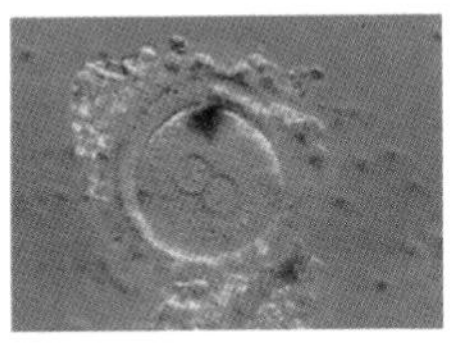

24 heures après la fécondation, deux noyaux se développent.

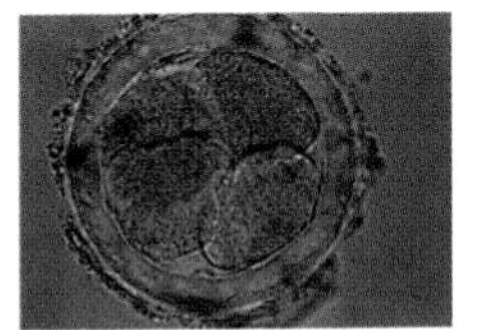

Quatre cellules sont déjà formées.

Peut-on faire un enfant dès le premier rapport sexuel ?

Oui. Dès qu'une jeune fille est réglée et qu'un jeune homme peut éjaculer, il peut y avoir fécondation lors d'un rapport sexuel. L'ovule est émis 14 jours avant les règles et vit de 24 à 36 heures. Les spermatozoïdes restent vivants 3 à 4 jours dans l'appareil génital féminin. La période de fécondation est donc de 4 jours avant et 2 jours après l'ovulation, soit 6 jours par cycle. Et comme il est très difficile de déterminer précisément la date de l'ovulation, faire l'amour sans contraception comporte toujours un risque de grossesse.

La rencontre des gamètes

Lors de l'éjaculation, 300 à 400 millions de spermatozoïdes sont émis au fond du vagin. 3 à 4 millions parviennent à l'entrée de l'utérus. Un million atteint l'entrée des trompes, 2 heures plus tard en moyenne. Si l'ovulation a eu lieu, un seul ovule est présent dans une trompe (un ovule dans chaque trompe est exceptionnel mais pas impossible). Quelques centaines de spermatozoïdes atteignent l'ovule, et un seul s'unira à lui. Un élu sur 300 ou 400 millions, ceci peut s'appeler la grande loterie de la vie !

Que devient l'œuf ?

Élaboré dans une trompe, il va descendre en plusieurs jours, se fixer dans la paroi plissée, riche en vaisseaux sanguins, de l'utérus.
À partir d'une seule cellule, il va, en 9 mois, donner un individu constitué de milliards de cellules, spécialisées et organisées.
Il est indispensable de faire surveiller par des spécialistes le bon déroulement de la grossesse.

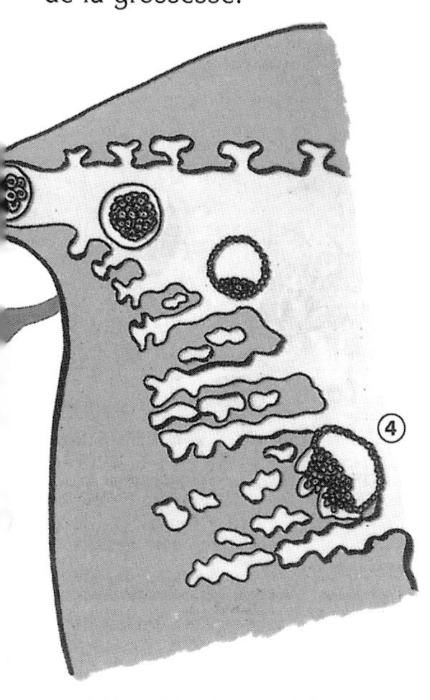

Schéma d'une trompe de Fallope

1. Ovulation
2. Fécondation
3. Stade : 4 cellules
4. Début de la nidation

Pourquoi y a-t-il des jumeaux ?

On distingue deux types de jumeaux. Les vrais jumeaux sont formés à partir du même ovule fécondé. Un seul œuf se sépare en deux.
Ils sont toujours du même sexe. Les faux jumeaux se forment séparément, à partir de deux ovules libérés simultanément au cours du même cycle.
Ils peuvent être de sexes différents ou non.

De l'embryon au bébé

Selon le droit français, on ne devient un être humain qu'après la naissance.
Pour l'Église catholique, l'être humain existe dès la rencontre entre l'ovule et le spermatozoïde.
Les scientifiques distinguent le stade de l'embryon (de 0 à 8 semaines), où les organes commencent à se former, et le stade du fœtus (à partir de la huitième semaine), où tout ce qui s'est formé se développe.

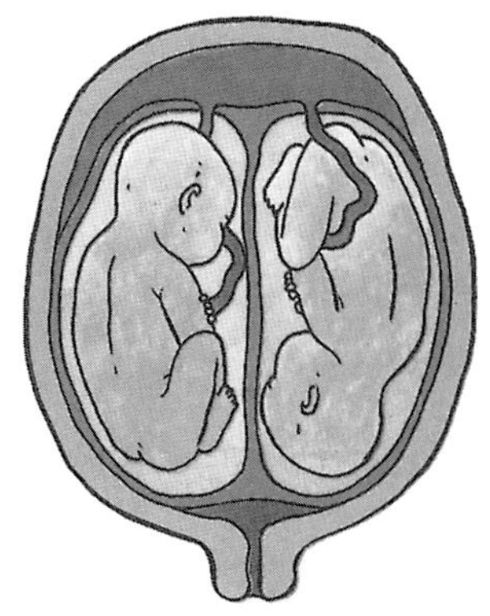

Issus d'un même ovule, les vrais jumeaux partagent le même placenta.

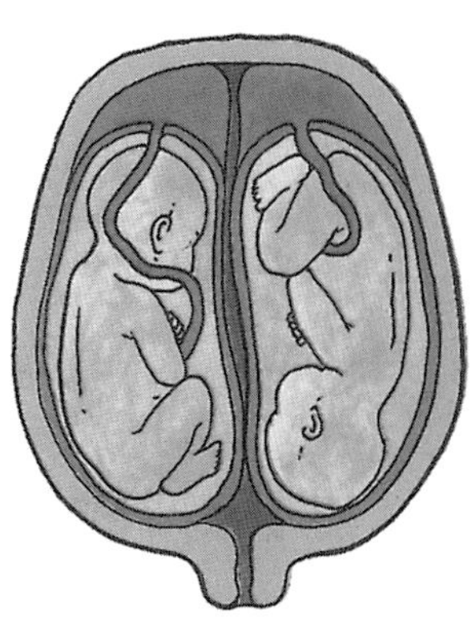

Les faux jumeaux se forment à partir de deux ovules. Ils ont chacun leur placenta.

La grossesse

Est-ce qu'il y a un âge pour avoir des enfants ?

Faire un enfant suppose :

- d'être adulte dans ses sentiments et son comportement, car être parent entraîne de nombreuses responsabilités ;
- de s'engager vis-à-vis de son partenaire : un enfant lie de façon indissoluble le couple qui l'a conçu même si, par la suite, il se sépare.

Toutes ces « aptitudes », vous ne les avez pas avant d'avoir fini de grandir, avant d'être arrivé(e) au terme de l'adolescence et d'être un adulte.

Quels sont les premiers signes de la grossesse ?

Un retard des règles qui se prolonge est souvent le premier signe : on peut le vérifier par un test, que l'on trouve en pharmacie. Il permet de détecter dans l'urine des hormones qui apparaissent lors de la grossesse. Si le test est positif, une visite chez un gynécologue s'impose pour confirmer ce résultat.

À quoi sert le placenta ?

Le placenta lie le fœtus à la mère. Il permet les échanges entre eux : le fœtus puise dans le sang de la mère les substances indispensables à son développement, à sa respiration. Le placenta recueille les déchets que la mère évacuera comme les siens. Il produit aussi des hormones, dont certaines permettent à la grossesse d'être menée à son terme.

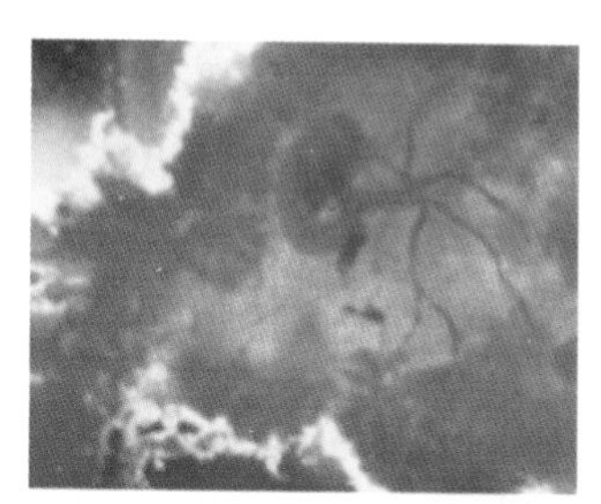

Embryon de 5 semaines

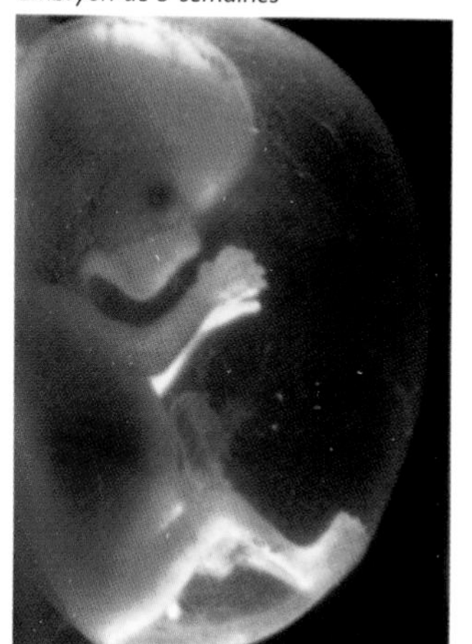

Fœtus de 3 mois

Qu'appelle-t-on une « fille-mère » ?

On appelle fille-mère une femme qui a eu un enfant et a été abandonnée par le père. On emploie maintenant l'expression « mère célibataire », moins péjorative. C'est rarement un choix, mais plutôt la conséquence d'un rapport sexuel sans contraception et souvent sans amour. Il arrive que le partenaire délaisse la jeune fille par peur des responsabilités, parce que l'enfant n'était pas souhaité, ou qu'il ne soit pas mis au courant. Cela se produit moins souvent aujourd'hui grâce à la contraception et aussi parce que les filles sont mieux informées.

En France, 10 000 adolescentes tombent enceintes chaque année.

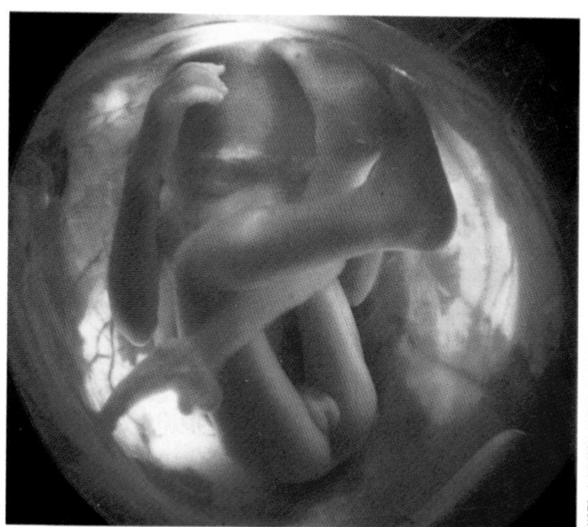

Fœtus de 7 mois

PHOTO : L. NILSSON, NAITRE, HACHETTE.

L'accouchement

> **La péridurale**
>
> *La péridurale, c'est l'injection d'un liquide anesthésique qui provoque l'insensibilisation de la région abdominale (sans endormir la mère) et supprime ainsi les douleurs de l'accouchement.*

Comment une femme enceinte sait-elle qu'elle va accoucher ?

Dans la mesure où une grossesse dure neuf mois, il y a un terme, c'est-à-dire une date prévue pour l'accouchement. Il peut cependant avoir lieu quelques jours avant ou après. Les premiers signes de l'accouchement sont l'écoulement du liquide amniotique et des contractions faibles mais régulières, indiquant que la mère et l'enfant sont prêts : cela laisse généralement le temps de partir tranquillement à la maternité pour une naissance dans les meilleures conditions.

Combien de temps dure un accouchement ?

C'est très variable : moins d'une heure (surtout pour un deuxième ou troisième enfant) à une journée.

On dit que c'est très douloureux...

L'accouchement nécessite un long travail du muscle de l'utérus pour permettre l'expulsion du bébé par le vagin. Les contractions musculaires sont donc extrêmement fortes et douloureuses, mais il existe aujourd'hui des moyens très efficaces pour lutter contre la douleur, comme la péridurale.

Moi, je suis né(e) prématurément ; cela a-t-il des conséquences ?

Naître prématurément, c'est-à-dire plusieurs semaines avant le terme, nécessite des soins particuliers durant la période qui suit l'accouchement. Le bébé est mis en couveuse pour qu'il puisse terminer son développement dans de bonnes conditions. L'idéal est que la maman puisse s'en occuper aussi un peu. Par la suite, un bébé prématuré se développe comme les autres.

Qu'appelle-t-on une « césarienne » ?

Quand le bassin de la mère est trop étroit pour permettre la sortie du bébé ou quand le bébé semble souffrir, on pratique une césarienne. C'est une opération chirurgicale, sous anesthésie générale ou locale, qui consiste à ouvrir le ventre de la mère pour en extraire le bébé.

On raconte que les nuits de pleine lune, les maternités sont pleines. Or, d'après les statistiques établies, c'est entièrement faux.

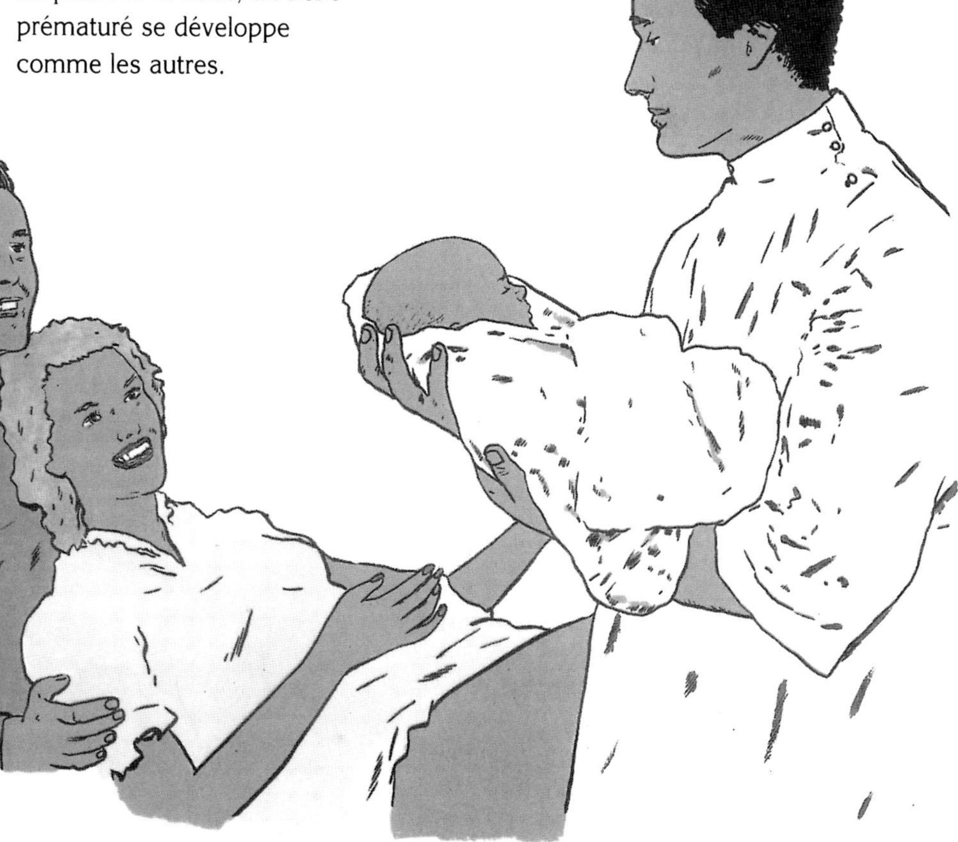

Quand il est difficile d'avoir un enfant

Pour faire un enfant, suffit-il de le décider ?

Non. La fécondation est un mécanisme apparemment simple qui met cependant en jeu des opérations complexes, tant chez l'homme que chez la femme. À tous les niveaux peut se produire un petit dysfonctionnement qui empêche la grossesse : un utérus mal formé, une quantité insuffisante d'hormones chez la femme, des spermatozoïdes anormaux chez l'homme. Cela s'appelle la stérilité et il est toujours difficile d'en déterminer la cause. Mais on dispose aujourd'hui de techniques de fécondation artificielle qui permettent parfois d'en venir à bout quand les autres traitements ont été inefficaces.

Qu'est-ce qu'un bébé-éprouvette ?

C'est un bébé dont la fécondation a eu lieu dans une éprouvette, en dehors d'une relation sexuelle. Le sperme de l'homme ainsi que plusieurs ovules de la femme sont recueillis et mis en contact pour provoquer une fécondation. L'embryon ainsi obtenu est replacé dans l'utérus de la future mère où il poursuit son développement. En France, le premier bébé-éprouvette, Amandine, est né en 1982. À ce jour, il naît environ 4 000 enfants par an grâce à ce procédé, appelé fécondation *in vitro* (« dans le verre » du tube à essai).

Pourquoi certaines grossesses n'arrivent-elles pas à terme ?

Un œuf qui ne se fixe pas dans l'utérus, un embryon mal formé, une insuffisance d'hormones, une maladie infectieuse (rubéole par exemple), un choc physique ou psychologique important touchant la mère font partie des nombreuses causes de fausses couches spontanées. Le plus souvent, elles ont lieu durant le premier trimestre de la grossesse.

Quand on a été adopté, qui sont les vrais parents ?

Un enfant adopté a des parents biologiques (qui lui ont donné naissance) et des parents adoptifs (qui l'ont élevé, lui ont donné leur nom). Les lois d'un pays définissent les droits de chacun : parents adoptifs, parents biologiques et enfant. Les parents sont ceux que l'on reconnaît comme siens par le cœur.

Lexique

androgènes : ce sont des hormones qui provoquent l'apparition des caractères sexuels masculins.

chromosomes : éléments du noyau de chacune de nos cellules, qui portent des caractères héréditaires. Les cellules sexuelles en contiennent 23 et les autres cellules 46.

cycle : suite ininterrompue de phénomènes qui se répètent dans le même ordre.

follicule : petit organe en forme de sac, situé dans l'ovaire. Il contient un futur ovule.

gamète : cellule reproductrice. L'ovule et le spermatozoïde sont des gamètes.

homosexualité : tendance de certains adultes à établir des relations amoureuses ou sexuelles avec des partenaires du même sexe (*homos* signifie le même).

hypophyse : petite glande située sous le cerveau qui produit de nombreuses hormones.

ménopause : moment de la vie d'une femme où s'arrête le fonctionnement du cycle menstruel.

œstrogènes : hormones sexuelles fabriquées par les ovaires et qui modifient la paroi interne de l'utérus.

prostate : glande située à la base de la vessie, chez l'homme. De la taille d'un marron, elle sécrète une partie du liquide du sperme.

scrotum : sorte de sac dans lequel est logé un testicule.

sphincter : petit muscle circulaire qui ouvre ou ferme le canal ou l'orifice qu'il entoure.

testostérone : hormone sexuelle fabriquée par les testicules.

tubes séminifères : 800 m de minuscules tubes pelotonnés constituent un testicule. Ils produisent les spermatozoïdes.

urètre : canal essentiellement situé dans le pénis, qui conduit l'urine ou le sperme.

vésicules séminales : glandes de l'appareil reproducteur mâle, situées en arrière de la vessie ; elles servent de réservoir de sperme.

virginité : état d'un être qui n'a pas encore eu de rapport sexuel. Autrefois, on disait puceau ou pucelle. Vierge a le même sens.

Index

Crédit photo

couverture : James Flint/Shutterstock
P. 6 : J. Leral/Stock image. **P. 7** : C. De Torquat/Pix. **P. 10** : h. g. Petit Format ; h. d. Gaillard/Jerrican. **P. 11** : N. Thibaut/Hoa qui. **P. 12** : M. Voyeux/Métis. **P. 13** : B. Descamps/Métis. **P. 20** : liaisons internationales Hoa qui, PJB pictures. **P. 22** : Petit Format. **P. 23** : J.P. Nova/Stock image. **P. 24** : M. Voyeux/Métis. **P. 25** : B. Descamps/Métis. **P. 29** : L. Nilsson, *Naître*, Hachette. **P. 32** : Gable/Jerrican. **P. 33** : Pix S.A. **P. 35** : Sylva Villerot/DIAF. **P. 40** : Gaillard/Jerrican. **P. 41** : Gable/Jerrican. **P. 48** : Simon/Jerrican. **P. 49** : Sylva Villerot/DIAF. **P. 53** : Stock image. **P. 58** : b. g. BSIP VEM. **P. 61** : Stock image. **P. 62** : h. g. Phillips research explorer ; m. g. Dr P. Boyer/CNRI ; b. g. Petit Format. **P. 64** : Stock image. **P. 65** : m. et b. g. Petit Format ; b. d. : L. Nilsson, *Naître*, Hachette. **P. 69** : Stock image.

N° d'éditeur : 10180891 - Dépôt légal : février 2012
Loi n° 49-956 du 16 juillet 1949 sur les publications destinées à la jeunesse.
Imprimé en France par Pollina s.a., 85400 Luçon - n° L58826
ISBN : 978.2.09.253743.5